WEINER LEÓ

PEREGI VERBUNK

hegedűre vagy mélyhegedűre
vagy klarinétra zongorakísérettel

UNGARISCHER TANZ

für Violine oder Viola
oder Klarinette mit Klavierbegleitung

HUNGARIAN DANCE

for violin or viola
or clarinet with piano accompaniment

Op. 40

EDITIO MUSICA BUDAPEST

Universal Music Publishing Editio Musica Budapest Zeneműkiadó Kft.
H-1370 Budapest, P.O.B. 322 • Tel.: +36 1 236-1100
E-mail: info.emb@umusic.com • Internet: www.umpemb.com

PEREGI VERBUNK

HEGEDŰRE VAGY MÉLYHEGEDŰRE VAGY KLARINÉTRA

ZONGORAKÍSÉRETTEL

WEINER Leó
(1885–1960)

Z. 460

1.
2.
mf
p
mp
p
mf
p
dolce
p dolce
etc. sempre con Pedale
(p)

p
p dolce
pp
8
p
cresc.
mf
sf
p
ten.
mp
sf.

VIOLA

JANCSIN FERENC barátomnak

PEREGI VERBUNK

MÉLYHEGEDŰRE

ZONGORAKÍSÉRETTEL

WEINER Leó
(1885–1960)

Tempo di Csárdás

p
cresc.
mf
sf
ten.
mf
sf
ten.
mf
f
ten.
f
f
p subito (delicatiss.)
p
f
p
f
p
cresc.
f
p
p
mf
p

Cadenza
cresc.
sempre forte
(forte e rapido)
pp subito
(pp)
cresc.
ten.
a tempo
(détaché)
accel.
rit.
dim.
Poco meno mosso (quasi Andante)
f espr.
Poco rit.
(f espr.)
mp

JANCSIN FERENC barátomnak

PEREGI VERBUNK

HEGEDŰRE

ZONGORAKÍSÉRETTEL

WEINER Leó
(1885–1960)

cresc.
ten.
p subito (delicatiss.)
cresc.

Cadenza
p
cresc.
f
(sempre forte e rapido)
pp subito
(pp)
cresc.
ten.
f a tempo
(détaché)
accel.
ff
p cresc.
rit.
dim.
Poco meno mosso (quasi Andante)
6
f espr.
Poco rit.
mp
(f espr.)

CLARINETTO in Si♭

JANCSIN FERENC barátomnak

PEREGI VERBUNK

KLARINÉTRA

ZONGORAKÍSÉRETTEL

WEINER Leó
(1885–1960)

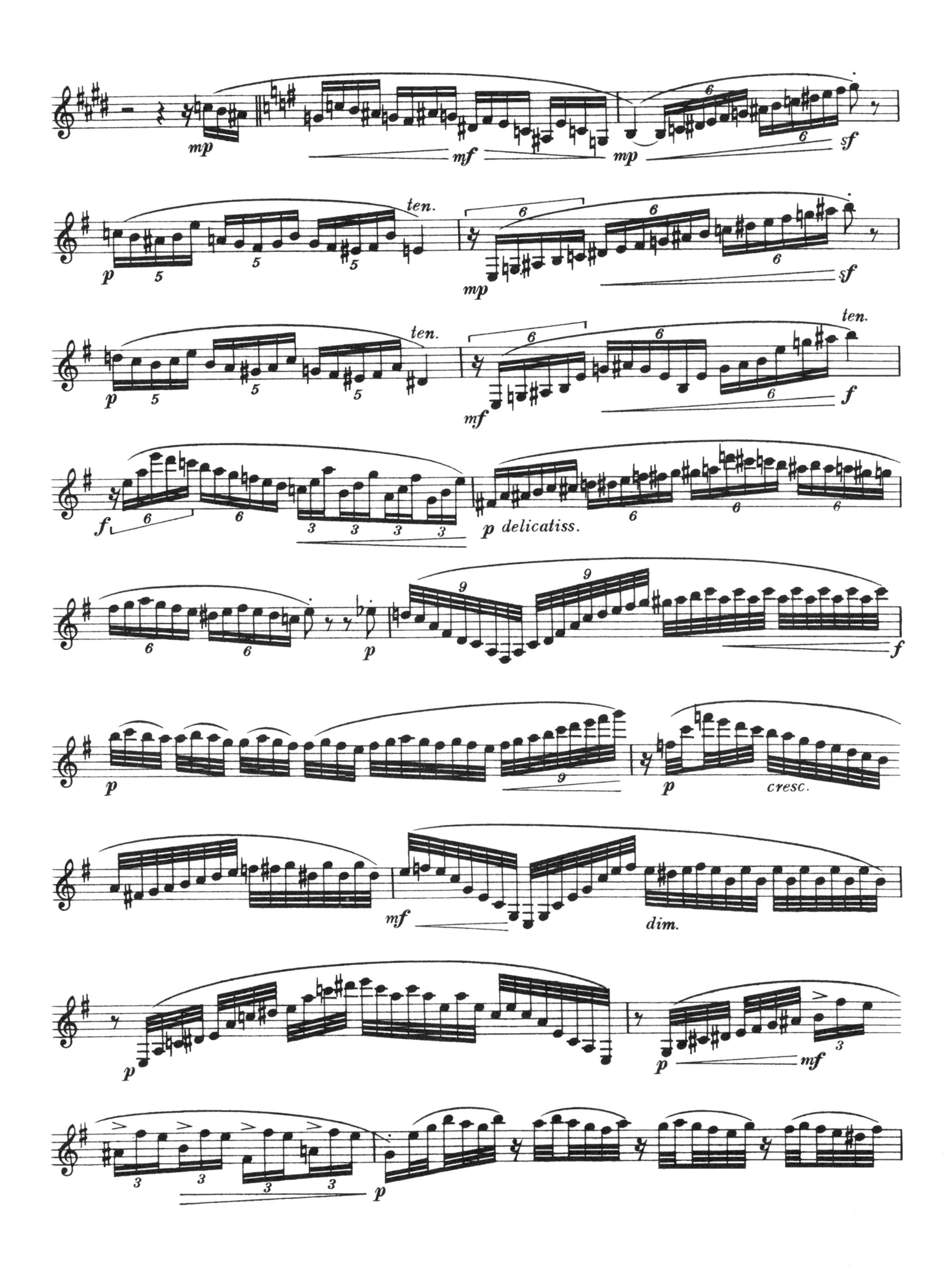
mp
mf
mp
sf
ten.
p
mp
sf
ten.
p
mf
f
ten.
f
p delicatiss.
p
f
p
p
cresc.
mf
dim.
p
p
mf
p

Cadenza
p
cresc
f
sempre forte
ff
pp subito
pp
cresc.
cresc. molto
ff
tr
ten.
3
mf
3
f
a tempo
(f)
3
accel.
tr
ff
p
rit.
p
Poco meno mosso
(quasi Andante)
6
f espr.
Poco rit.
3
(f espr.)
mp

ten.
ten.
ten.
p subito (delicatiss.)
cresc.

f
p
(p)
p
mf
p
mp
pp
Vl.
Cadenza
cresc.
(sempre forte e rapido)
pp subito
(pp)
ten.

Durata: ca 5 Min.

Felelős kiadó a Universal Music Publishing
Editio Musica Budapest Zeneműkiadó Kft. igazgatója
Z. 460/20 (3,5 A/5 ív) 2019/402. Generál Nyomda Kft.
Felelős vezető: Hunya Ágnes ügyvezető
Műszaki szerkesztő: Metzker Gábor
A sorozatfedelet Szántó Tibor tervezte

Terjeszti / Distributed by:
Editio Musica Budapest Zeneműkiadó Kft.
1132 Budapest, Visegrádi u. 13. • Tel.: +36 1 236-1104
E-mail: emb@emb.hu • Internet: www.emb.hu